Catalogage avant publication de Bibliothèque et Archives nationales du Québec
et Bibliothèque et Archives Canada

Goldstyn, Jacques, auteur, illustrateur

Jules et Jim : frères d'armes / auteur et illustrateur, Jacques Goldstyn.
Public cible : Pour enfants de 8 ans et plus.
ISBN 978-2-89770-187-1

I. Titre.

PS8613.O448J84 2018   jC843'.6   C2018-940242-3
PS9613.O448J84 2018

Dépôt légal – Bibliothèque et Archives nationales du Québec, 2018
Bibliothèque et Archives Canada, 2018

Réimpression 2018

Direction éditoriale : Sylvie Roberge
Direction littéraire et artistique : Thomas Campbell
Texte et illustrations : Jacques Goldstyn
Révision : Josée Latulippe
Mise en pages : Janou-Eve LeGuerrier

Financé par le gouvernement du Canada | Canadä

Conseil des arts   Canada Council
du Canada   for the Arts

Nous remercions le Conseil des arts du Canada de l'aide accordée
à notre programme de publication.

Cet ouvrage a été publié avec le soutien de la SODEC.
Gouvernement du Québec – Programme de crédit d'impôt pour l'édition de livres –
Gestion SODEC.

bayard
CANADA

Bayard Canada Livres
4475, rue Frontenac, Montréal (Québec) H2H 2S2
edition@bayardcanada.com
bayardjeunesse.ca

Imprimé en Chine

jacques goldstyn

Jules et Jim
frères d'armes

bayard
CANADA

Jules et Jim sont nés le même jour,
dans le même village,
mais à deux minutes d'intervalle.

Jim est né avant Jules.

Jules et Jim sont vite devenus
les meilleurs amis du monde.

Ils aimaient les mêmes choses
et jouaient aux mêmes jeux.

Mais Jim apprenait plus vite que Jules.

Il était plus rapide et plus fort.

Jules admirait
beaucoup Jim.

Jim prenait toujours soin de Jules.

Tout le monde était d'accord:
Jules et Jim formaient un curieux duo.

Les années ont passé
et rien n'a changé...

Jules était toujours en retard de deux minutes.

Cela lui valait bien des ennuis.
Tout le monde se moquait de Jules... sauf Jim.

La vie aurait pu continuer ainsi paisiblement...

Mais un jour,

la guerre a éclaté dans un pays lointain,
quelque part en Europe...

à cause de l'assassinat d'un archiduc et de sa femme.

L'Europe était désormais divisée en deux camps ennemis.

Allemagne

Russie

Grande-Bretagne   France

Autriche-Hongrie

Le Canada est alors entré en guerre contre l'Allemagne.

Jules et Jim
ne comprenaient pas
ces histoires de traités
et d'alliances, mais le pays
avait besoin d'eux.

Alors les deux amis
se sont engagés dans l'armée.
Il fallait vaincre
ces horribles Allemands.

Jim a reçu son paquetage le premier.

Son uniforme lui allait à la perfection.

Jules est arrivé deux minutes trop tard.

On lui a remis ce qui restait.

Jules et Jim ont suivi un entraînement rigoureux.

Jules a appris qu'on ne discutait pas les ordres.

Après des mois d'entraînement...

Jules et Jim ont rejoint les milliers de soldats canadiens qui partaient pour l'Europe.
Jules s'est présenté deux minutes trop tard.

Le bateau est plein.
Vous embarquerez sur le suivant.

Mais...

c'est un ordre!

À leur arrivée en France, les soldats canadiens ont reçu un accueil triomphal.

Ils ont aussitôt pris la direction du front.

Jules et Jim imaginaient la guerre
comme des batailles épiques et des charges héroïques.

Ils ont été surpris quand ils ont découvert...

des tranchées figées dans la boue et les barbelés.

LONDRES
385 milles

Toutefois, l'action n'a pas tardé.

Des obus énormes tombaient sur eux comme de la pluie pendant des heures...

Après une accalmie,
les Allemands attaquaient!
Aussitôt, les Canadiens les repoussaient
à coups de mitrailleuse.

Puis c'était l'inverse.

Des obus énormes tombaient sur les Allemands
comme de la pluie pendant des heures...

C'était au tour des Canadiens de monter à l'attaque.
C'était de la folie de courir vers les tranchées ennemies.
Seulement, il fallait suivre les ordres.

L'offensive se terminait souvent par un échec.
Les survivants tentaient de regagner leurs tranchées.

Ils se terraient alors pendant des jours
et des jours jusqu'à la prochaine attaque.

Puis tout recommençait.

La vie dans les tranchées était horrible,
sauf à de trop rares moments...

Les hommes avaient les pieds mouillés.
Ils étaient couverts de poux.

Jules était devenu un expert pour exterminer les rats.

Les soldats ont fini par ressembler
à des hommes des cavernes.

Parfois, on faisait des prisonniers.

Et chose étonnante: ils n'avaient pas l'air de monstres.
Ils avaient même l'air plutôt piteux.

Au fond d'eux, Jules et Jim
les enviaient un peu :
pour ces soldats, la guerre était finie.

Mais pour les deux amis, le carnage se poursuivait
avec des armes toujours plus terribles:

des aéroplanes,

des gaz toxiques,
des chars...

La guerre était comme un grand chaudron qui engloutissait les hommes sans fin.

Les gens restés au pays n'en pouvaient plus.

Les femmes remplaçaient les hommes au travail.

Elles s'épuisaient à fabriquer des munitions sans arrêt,

À force de manipuler des explosifs, leur peau devenait jaune.

Sur le front, Jim était toujours
le premier à donner l'assaut.

Jules suivait deux minutes derrière.

C'est ainsi que Jim était décoré,

pendant que Jules était de corvée.

Malgré ses médailles,
Jim avait aussi peur que Jules.

La nuit,
les deux amis
se réconfortaient parfois.

Parfois même,
ils pleuraient en rêvant
de rentrer au pays.

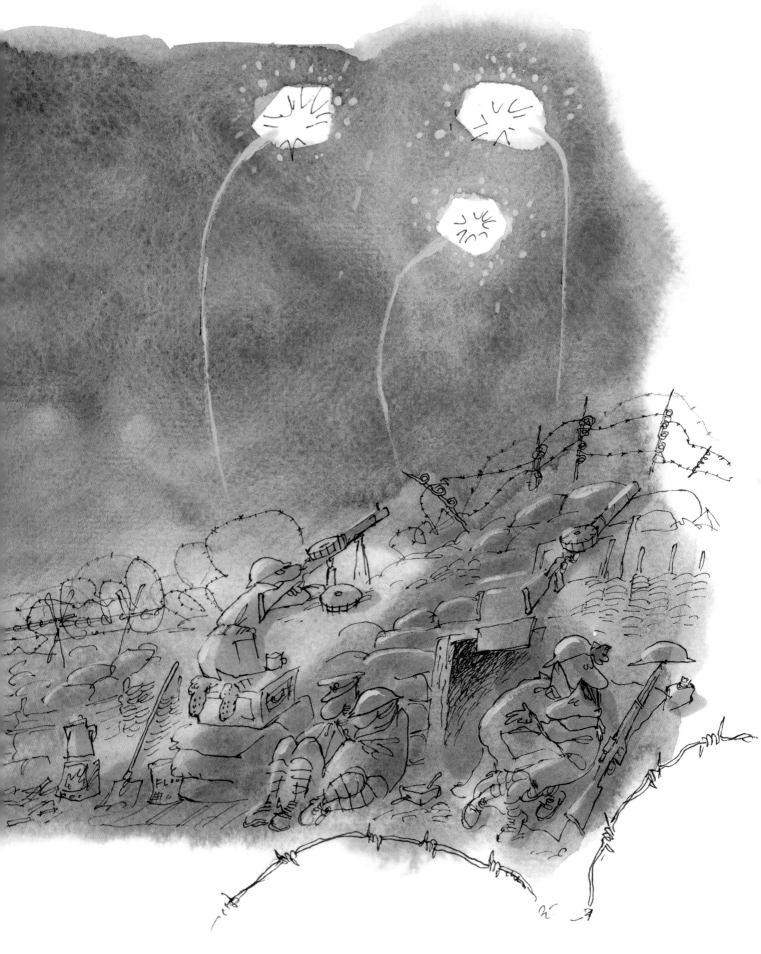

La guerre a continué ainsi très longtemps.

Les soldats allemands étaient à bout de force.

Dans leur pays, les citoyens affamés se sont révoltés.

L'Allemagne n'a pas eu d'autre choix que de cesser les combats.

Les chefs alliés et ennemis se sont rencontrés près du front.

L'armistice a été signé
le **11** novembre 1918, à **5** heures du matin.

Cependant, les alliés ont décidé d'attendre jusqu'à **11** heures avant que le **cessez-le-feu** entre en vigueur.

Ainsi, les combats ont pris fin le **11** du **11** à **11** heures.

Sur les champs de bataille,
les soldats ont continué à se battre
de **5** heures à **11** heures.

Jules et Jim
  ont reçu l'ordre d'attaquer.

  Jim était encore une fois le premier
  à sortir de la tranchée.

Jules le suivait.

À 10h58,
deux minutes avant l'armistice,
Jim a reçu une balle dans la poitrine.

Jules a tout tenté pour le sauver,
mais son ami est mort dans ses bras.

C'était la fin de la guerre et...

c'était aussi la fin de Jim.

Jules est revenu au pays sans son ami.

Il a eu beaucoup de difficulté à reprendre une vie normale.
Il pensait sans arrêt à Jim.

Revenir à la vie civile n'était pas facile pour Jules.

Il a tenté sa chance dans toutes sortes de métiers...

Il a finalement choisi de devenir horloger.

Les montres de Jules
ont cependant une particularité :
elles ont toujours
deux minutes de retard.

À la mémoire de
George Lawrence Price
dernier soldat canadien tué
le 11 novembre 1918 à 10 h 58,
deux minutes avant l'armistice.

Je dédie ce livre à mon grand-père, Michel Quéléver, un fermier breton qui aimait beaucoup la vie et les animaux. Il avait coutume de dire qu'il avait « fait toute la guerre de 14-18 ».

Un jour, ma mère, qui avait huit ans, lui a demandé combien d'Allemands il avait tués. Mon grand-père, d'habitude très doux, lui a répondu d'un air sévère: « Ne me pose plus jamais cette question. »

Il se savait chanceux de ne pas avoir été blessé à la guerre. Cependant, il y a parfois des blessures qui sont invisibles. J'aurais aimé connaître mon grand-père. Je lui aurais posé des tas de questions.

Jacques Goldstyn